ROBERT SCHUMANN

TRIOS

FÜR KLAVIER, VIOLINE UND VIOLONCELLO

OPUS 63, 80, 110

REVIDIERT VON

ALFRED DÖRFFEL

C. F. PETERS

FRANKFURT/M. · LEIPZIG · LONDON · NEW YORK

Inhalt

Erstes Trio

Opus 63

Komponiert im Jahre 1847, gedruckt erschienen im Jahre 1848

I

Robert Schumann (1810-1856)

Edition Peters Nr. 2377

7025

4

7025

7025

II

7025

Coda

III

Langsam, mit inniger Empfindung

7025

IV

7025

Edition Peters

7025

7025

48

7025

7025

Nach und nach schneller

Nach und nach schneller

Edition Peters

7025

Zweites Trio

Opus 80

Komponiert im Jahre 1847, gedruckt erschienen im Jahre 1850

I

58

7025

68

und nach schneller

II

arco

dimin.

dimin.

dimin.

Lebhaft

Lebhaft

78

Edition Peters

7025

III

In mässiger Bewegung

In mässiger Bewegung M.M. ♩=50

IV

Drittes Trio

Opus 110

Niels W. Gade zugeeignet

Komponiert im Jahre 1851, gedruckt erschienen im Jahre 1852

I

7025

7025

7025

II

7025

7025

Erstes Tempo

III

Etwas zurückhaltend _ _ _ bis _ _ zum _ _ langsameren Tempo.

Etwas zurückhaltend _ bis _ _ zum _ langsameren Tempo

Violine

Erstes Trio

I

R. Schumann, Op. 63

Mit Energie und Leidenschaft

Violine

Violine

3

Edition Peters

7025

Violine

II

Lebhaft, doch nicht zu rasch

Violine

7025

Violine

Violine

III

Langsam, mit inniger Empfindung

Pianoforte

Violine

Violine

IV

Violine

Violine

14

Violine

Nach und nach schneller

Violine

Zweites Trio

I

R. Schumann, Op. 80

Violine

Violine

Violine

Violine

II

Mit innigem Ausdruck

Pianof.

Violine

Violine

Violine

III

In mässiger Bewegung

Violine

Violine

IV

Nicht zu rasch

Violine

Drittes Trio

I

Bewegt, doch nicht zu rasch

R. Schumann, Op. 110

Violine

7025

Violine

II

Ziemlich langsam

Violine

Violine

III

Violine

36

Violine

IV

Kräftig, mit Humor

Edition Peters   7025

Violine

Violine

Violine

Inhalt

Violoncello

Erstes Trio
I

Mit Energie und Leidenschaft

R. Schumann, Op. 63

7025

Violoncello

Violoncello

Violoncello

II

Lebhaft, doch nicht zu rasch

Violoncello

Violoncello

Violoncello

III

Langsam, mit inniger Empfindung

Violoncello

Edition Peters

Violoncello

Violoncello

IV

Mit Feuer

Violoncello

Nach und nach schneller

Violoncello
Zweites Trio

R. Schumann, Op. 80

I

Sehr lebhaft

Violoncello

Violoncello

Violoncello

Violoncello

Violoncello

Violoncello

IV

Nicht zu rasch

Violoncello

Violoncello

Violoncello

Drittes Trio

I

R. Schumann, Op. 110

Bewegt, doch nicht zu rasch

Violoncello

Violoncello

Violoncello

II

7025

Violoncello

Violoncello

III

Violoncello

Violoncello

IV

Kräftig, mit Humor

Violoncello

Violoncello

Violoncello

Inhalt

MUSIK FÜR VIOLONCELLO

(*) zu diesen Ausgaben ist eine Music- Partner CD mit eingespieltem Orchester- bzw. Klavierpart erhältlich

C. F. PETERS · FRANKFURT/M. · LEIPZIG · LONDON · NEW YORK

www.edition-peters.de · www.edition-peters.com

Erstes Tempo

7025

IV

Kräftig, mit Humor

Kräftig, mit Humor ($\bullet$ = 104)

Mit Pedal

7025

7025

KLAVIERMUSIK / PIANO MUSIC
(Auswahl / Selection)

J. S. BACH Kleine Präludien u. Fughetten (Keller) EP 200a
– Wohltemperiertes Klavier Teil I/II
(Kreutz/Keller) .... EP 4691a/b
– Zwei- und dreistimmige Inventionen
BWV 772-801 (Landshoff) .... EP 4201
– Französische Suiten BWV 812-817 (Keller) .. EP 4594
– Englische Suiten, 2 Bände (Kreutz) .... EP 4580a/b
– Partiten, 2 Bände (Soldan) .... EP 4463a/b
– Italienisches Konzert, Urtext (Bartels) .... EP 11240
– Goldberg-Variationen (Soldan) .... EP 4462
– Toccaten BWV 910-916 (Keller) .... EP 4665
– Einzelne Suiten u. Suitensätze BWV 818, 819,
820, 823, 835, 844, 996, 997, 998 (Keller)... EP 9007
– Chromat. Fantasie und Fuge BWV 903, Fantasien
und Fugen BWV 894, 904, 906, 944 (Keller). EP 9009
– Sonaten BWV 963-966, 968, 1019/3 (Keller). EP 9066
– 16 Konzerte nach Vivaldi, Marcello u.a. (Schering) EP 217
– Die Kunst der Fuge BWV 1080, Urtext (Chr. Wolff)
– – Frühere Fassung des Autographs (Erstausgabe) EP 8586a
– – Spätere Fassung des Originaldrucks ...... EP 8586b
BACH-BUSONI Chaconne d BWV 1004 (Banks) EP 7436
BALAKIREW Islamei (Rüger) .... EP 9167
– Ausgewählte Klavierstücke (Rüger) .... EP 9576a/b
BEETHOVEN Sonaten, 2 Bände (C. Arrau) ... EP 1800a/b
– Klavierstücke, 2 Bände (Keller) .... EP 297a/b
– Variationen, 2 Bände, Urtext (Hauschild) . EP 298aa/bb
– Sonatinen und leichte Sonaten op.49, op.79,
Kurfürsten-Sonaten, 4 Sonatinen, Urtext ..... EP 9420
BIZET Bilder vom Rhein .... EP 3599
BORODIN Petite Suite (Niemann) .... EP 4320
BRAHMS Klavierwerke in 5 Bänden, Urtext
– I Sonaten op 1, 2, 5 .... EP 8200a
– II Variationen op. 9, 21 /1-2, 24, 35 .... EP 8200b
– III Klavierstücke op. 4, 10, 39, 76 .... EP 8200c
– IV Klavierstücke op. 79, 116-119 .... EP 8200d
– V Ungarische Tänze 1-10, Walzer, op. 39 (erleichtert),
51 Übungen, 5 Studien, Variationen d-Moll u.a. EP 8200e
BUSONI 6 Klavierstücke op. 33b .... EP 2838
CHOPIN Klavierwerke in 10 Bänden (Scholtz/Pozniak)
– I Walzer .... EP 1901
– II Mazurkas .... EP 1902
– III Polonaisen .... EP 1903
– IV Nocturnes .... EP 1904
– V Balladen, Impromptus .... EP 1905
– VI Scherzi, Fantasie f-Moll .... EP 1906
– VII Etüden .... EP 1907
– VIII Präludien, Rondos .... EP 1908
– IX Sonaten .... EP 1909
– X Stücke (Berceuse, Barcarolle u.a.) ...... EP 1910
Urtext-Neuausgaben: Balladen (J. Samson) ..... EP 7531
– – Préludes op. 28, Prélude op. 45 (Eigeldinger) . EP 7532
CLEMENTI 24 Sonaten, 4 Bände (Ruthardt) ..... EP 146a-d
DEBUSSY Klavierwerke in 7 Bänden, Urtext (Klemm)
– I Arabesques, Suite Bergamasque, Children's corner EP 9078a
– II Préludes Band I .... EP 9078b
– III Préludes Band II .... EP 9078c
– IV Images .... EP 9078d
– V 12 Etudes .... EP 9078e
– VI Pour le piano, Estampes, L'isle joyeuse ..... EP 9078f
– VII Sämtliche Einzelkompositionen (Philipp) EP 9078g
FAURÉ Klavierwerke in 3 Bänden, Urtext
– I 9 Préludes, 6 Impromptus .... EP 9560a
– II 13 Barcarolles .... EP 9560b
– III 13 Nocturnes .... EP 9560c

FIELD Nocturnes (Köhler) .... EP 491
FRANCK Präludium, Aria und Finale (Sauer) . EP 3740b
– Präludium, Choral und Fuge (Sauer) ...... EP 3740a
GOTTSCHALK Kreolische und Karibische Klavier-
stücke (Le Bananier, Pasquinade, u.a.) (Klemm) . EP 9425
GRIEG Klavierwerke in 4 Bänden
– I Sämtl. Lyrische Stücke, Neuausgabe Urtext . EP 3100aa
– II Kompositionen op. 1, 3, 6, 16, 24, 28, 29,
41, 52, 73 .... EP 3100b
– III Original-Bearbeitungen .... EP 3100c
– IV Sonate e op. 7, Slåtter op. 72, Sieben Fugen EP 3100d
HÄNDEL Klavierwerke
– Suiten, 1. Sammlung (1720) (Serauky) ...... EP 4981
– Suiten, 2. Sammlung (1733) (Serauky) ...... EP 4982
– 6 Fugen op. 3 (HWV 605-610) u.a. .... EP 4984
– Suite d HWV 448, Partita A HWV 454, u.a. .. EP 4985
HAYDN Klavierwerke in 6 Bänden
– I-IV 43 Sonaten (Martienssen) .... EP 713a-d
– V Leichte Divertimenti .... EP 4443
– VI Klavierstücke, Variationen (Soldan) ...... EP 4392
JANÁČEK Auf verwachsenem Pfade, Im Nebel,
Sonate 1.X.1905, Thema con variazioni, u.a. .. EP 9867
LIADOW Ausgewählte Klavierstücke (Hellmundt) EP 9193
LISZT Klavierwerke (Sauer)
– I Rhapsodien Nr. 1-8 .... EP 3600a
– II Rhapsodien Nr. 9-19 .... EP 3600b
– III Etudes d'exécution transcendante .... EP 3600c
– IV Paganini-Etüden (La Campanella, u.a.),
Drei Konzertetüden (As, f, Des), u.a. .... EP 3600d
– V, VI Original-Kompositionen .... EP 3601a/b
– VII Opern-Fantasien nach Wagner .... EP 3601c
– VIII Opern-Fantasien nach Mozart, Verdi u.a. EP 3601d
– IX Lieder-Bearbeitungen (Schubert, u.a.) ... EP 3602a
– X Bearbeitungen (Bach, Orgelpräludien, u.a.) EP 3602b
– XII Supplement: Fantasie und Fuge B-A-C-H
Wagner: Tannhäuser-Ouvertüre, u.a. ...... EP 3602d
– Années de Pèlerinage (I, II, Auswahl aus III) .. EP 3603
– Rhapsodie espagnole .... EP 3609e
– Sonate h-Moll .... EP 3611
– Consolations u. Liebesträume, Urtext (L. Howard) EP 7820
MENDELSSOHN Klavierwerke in 5 Bänden (Kullak)
– I Lieder ohne Worte .... EP 1704a
– II Capriccio op. 5, Sieben Charakterstücke op. 7,
Rondo capriccioso op. 14, Fantasien/Caprices op. 16,
3 Caprices op. 33, Andante cantabile e Presto H-Dur,
6 Kinderstücke op. 72 .... EP 1704b
– III Phantasie op. 28, Präludien und Fugen op. 35,
Variations sérieuses op.54, Andante con Variazioni op.82,
Variationen op. 83, Etüden op. 104, Etüde f-Moll,
Scherzo h-Moll, Scherzo a Capriccio ...... EP 1704c
– IV Konzerte Nr. 1, Nr. 2, Capriccio brillant op. 22
Rondo brillant op. 29, Serenade u. Allegro op. 43
(Solostimme mit eingezogenem Orchesterpart) . EP 1704d
– V 3 Sonaten (E op. 6, g op. 105, B op. 106), Drei Prä-
ludien op. 104, Fantaisie op. 15, Albumblatt op. 117,
Capriccio op.118, Perpetuum mobile op.119, u.a. EP 1704e
MOZART Klavierwerke in 4 Bänden
– I, II Sonaten (Martienssen /Weismann) ..... EP 1800a/b
– III Klavierstücke (Weismann) .... EP 4240a
– IV Variationen (Köhler/Ruthardt) .... EP 273
MUSSORGSKI Bilder einer Ausstellung, Urtext EP 9585
REGER 7 Fantasiestücke op. 26 .... EP 1227
– 6 Klavierstücke op. 24 .... EP 1226
– Telemann-Variationen und Fuge op. 134 .... EP 3979

– Träume am Kamin op. 143 .... EP 3992
– Variationen u. Fuge über ein Thema von Bach op.81 EP 9103
SATIE Gymnopédies, Sarabandes, Pièces froides .. EP 7342
– Gnossiennes, Sonatine bureaucratique, 5 Nocturnes EP 7343
SCARLATTI 150 Sonaten, 3 Bde. (Keller/Weism.) EP 4692a/c
SCHUBERT Sonaten D 568, 575, 664, 784, 845, 850 EP 488c
– Sonaten D 537, 894, 958, 959, 960 .... EP 488d
– Impromptus op. 90, op. 142, Moments musicaux .. EP 3235
– Wanderer-Fantasie .... EP 716a
– 3 Klavierstücke (D 946), Unvollendete Sonate C
(D 840), 2 Scherzi, Allegretto c, u.a. ...... EP 718
SCHUMANN Klavierwerke. Urtext (H. J. Köhler)
– Abegg-Variationen F op. 1 .... EP 9501
– Album für die Jugend op. 68, Kinderszenen op.15 . EP 9500
– Albumblätter op. 124, Bunte Blätter op. 99 ... EP 9505
– Allegro op. 8 .... EP 9524
– Arabeske C op. 18 / Blumenstück Des op. 19 .. EP 9508
– Bunte Blätter op. 99, Albumblätter op. 124 ... EP 9505
– Carnaval op. 9 .... EP 9503
– Davidsbündlertänze op. 6 .... EP 9502
– Fantasie C op. 17 .... EP 9510
– Fantasiestücke op. 12 .... EP 9512
– 3 Fantasiestücke op. 111 .... EP 9513
– Faschingsschwank op. 26 .... EP 9516
– 4 Fugen op. 72, 7 Fughetten op. 126 ...... EP 9527
– Gesänge der Frühe op. 133 .... EP 9528
– Humoreske B op. 20 .... EP 9514
– Impromptus op. 5 .... EP 9523
– Intermezzi op. 4 .... EP 9507
– 3 Klaviersonaten f. d. Jugend op. 118 ...... EP 9525
– Klavierstücke op. 32 .... EP 9522
– Kreisleriana op. 16 .... EP 9504
– 4 Märsche op. 76 .... EP 9529
– Nachtstücke op. 23 .... EP 9520
– Novelletten op. 21 .... EP 9511
– Papillons op. 2 .... EP 9506
– Romanzen op. 28 .... EP 9521
– Sonaten fis op. 11, g op. 22 .... EP 9509
– Sonate f (Konzert ohne Orchester) op. 14 ..... EP 9519
– Studien op. 3, Konzertetüden op. 10 .... EP 9517
– Symphonische Etüden op. 13 .... EP 9515
– Toccata C op. 7 .... EP 9518
– Waldszenen op. 82 .... EP 9526
SKRJABIN Klavierwerke in 6 Bänden, Urtext
– I Etüden op. 8, 42, 65 .... EP 9077a
– II Préludes, Poèmes u.a. Stücke op. 11, 27, 32,
47, 56, 72, 73, 74 .... EP 9077b
– III Préludes, Poèmes u.a. op. 13, 16, 38, 45, 46,
48, 49, 51, 52, 57, 58, 59, 61, 63, 67, 69, 71 . EP 9077c
– IV Mazurken op. 3, 25, 40 .... EP 9077d
– V Sonaten 1-5 op. 6, 19, 23, 30, 53 ...... EP 9077e
– VI Sonaten 6-10 op. 62, 64, 66, 68, 70 .... EP 9077f
TSCHAIKOWSKY Klavierwerke in 3 Bänden
– I Auswahl aus op. 1, 18, 19, 21, 59 .... EP 4652
– II Auswahl aus op. 2, 5, 7, 9, 10, 19, 40, u.a. .. EP 4653
– III 14 Stücke aus op. 51 und op. 72 .... EP 4654
– Große Sonate G-Dur op. 87 .... EP 4985
– Die Jahreszeiten op. 37a (Schenck) .... EP 8968
– Jugendalbum op. 39 (Niemann) .... EP 3782
WEBER Sonaten C-Dur, As-Dur, d-Moll, e-Moll .. EP 717a
– Klavierstücke op. 12, 21, 62, 65, 72, 79; und
Variationen op. 7, op. 40 .... EP 717b
– Variationen op. 2, 5, 6, 9, 28, 55; Zwei Klavierkonzerte
(Solostimme mit eingezogenem Orchesterpart) .. EP 717c

Bitte fordern Sie den Katalog der Edition Peters an
For our free sales catalogue please contact your local music dealer

C. F. PETERS · FRANKFURT/M. · LEIPZIG · LONDON · NEW YORK

www.edition-peters.de · www.edition-peters.com

Kammermusik des 20. Jahrhunderts für Streicher
Chamber music of the 20th century for strings

(*) Aufführungsmaterial leihweise / Performance material on hire

C. F. PETERS · FRANKFURT/M. · LEIPZIG · LONDON · NEW YORK

www.edition-peters.de · www.edition-peters.com